외계인 낚시꾼

외계인 낚시꾼

발　행 | 2024년 01월 05일
저　자 | 150 (최윤솔)
펴낸이 | 한건희
펴낸곳 | 주식회사 부크크
출판사등록 | 2014.07.15.(제2014-16호)
주　소 | 서울특별시 금천구 가산디지털1로 119 SK트윈타워 A동 305호
전　화 | 1670-8316
이메일 | info@bookk.co.kr

ISBN | 979-11-410-6471-6

www.bookk.co.kr

외계인 낚시꾼

150 지음

우주에는 참 신비롭고 다양한 것들이 있다. 그리고 이 우주라는 주제는 지구인들에게 매우 흥미로운 주제 중 하나다. 나도 그중 하나일까? 솔직히 나도 내가 궁금하다. 나 혼자 사는 이 알 수 없는 행성도, 지구인들과 다르게 생긴 이 모습도 말이다. 나는 한참을 생각하다가 이내 생각하는 걸 그만두었다. 나는 조금만 더 바닥에 뒹굴뒹굴하다가 일어나서 낚시하러 갈 준비를 했다.

"이 정도면 됐겠지"

준비를 다 하고 나는 낚시를 하러 큰 물웅덩이를 찾으러 떠났다.

큰 물웅덩이를 찾은 후 나는 의자를 펼쳐 앉아서 물웅덩이를 향해 낚싯줄을 던졌다. 길게 줄을 뻗어 물웅덩이를 향해 날아가는 낚싯줄, 처음에는 헐렁하던 줄이 곧 팽팽해진 걸 본 나는 낚싯대를 꽉 잡고 무언가가 걸리길 기다렸다.

혼자 사는 이 행성에서 왜 낚시를 하고 있는지 물어보면 나도 내가 왜 여기서 이러고 있는지 잘 몰라 그 질문에 답할 수가 없다. 그냥 나는 이곳에 눈을 뜨자마자 물웅덩이를 발견하였고 물웅덩이에 둥둥 떠다나는 낚싯대를 발견해서 무의식적으로 낚시한 것뿐이다. 처음에 낚싯대를 손에 잡았을 때 이 낯선 세상에서 내게 뭔지 모를 익숙한 느낌을 주는 존재였다. 낚싯대를 처음으로 봤음에도 불구하고 말이다. 그래서 그렇게 낚시를 해왔을지도 모른다.

이렇게 낚시를 하는 건 몇 년 동안 계속 해왔을까 나는 문뜩 궁금해졌다. 하지만 이 궁금증은 아무 의미가 없었다. 왜냐면 이 행성에서는 시간이라는 건 존재하지 않기 때문이다. 굳이 시간을 따지자면 계속 현재에서 사는 것 정도다.

그래서 그럴까 나는 지구에 대한 많은 호기심이 있었다. 왜 갑자기 지구가 나오는가 하면 사실 이 큰 물웅덩이는 지구와 연결되어있는 통로다. 유일하게 내가 알고 있는 큰 물웅덩이의 정보 중 하나다. 자세한 건 잘 모르겠지만 그래도 이 정보를 알게 되기 전까지 나는 이곳을 수도 없이 낚시를 해왔다. 수도 없이 낚시한 만큼 나는 많은 물건을 잡아 왔고 그 물건들로 인해 지구라는 이름을 알게 된 것이다. 그래서 나는 지구에 대한 흥미가 엄청났다. 이 세계 말고도 또 다른 세계가 있다는데 누가 그걸 모른 채 지나가기만 할까, 그런 존재는 아마 지구에 있는 돌멩이들밖에 없을 것이다.

지구에는 흥미로운 점이 한둘이 아니다. 이 행성과 다르게 시간도 있고 많은 생명이 다양하게 살고 있었던 행성이었다. 지금은 더 지구에서 사는 생명은 없겠지만 말이다.

하지만 지구에는 지구인들이 살았었던 흔적들이 아직도 남아있다. 그 흔적들을 보면 얼마나 마음이 뭉클한지 감히 상상도 못 할 것이다. 어느새 낚싯대와 낚싯줄이 조금 흔들리고 있었다. 나는 얼른 낚싯대 휠을 잡고 돌렸다.

획 획

계속 돌리다 보니 무언가가 보였다. 이쁜 꽃 그림과 작은 글자들이 적혀져 있는 네모난 종이였다.

"편지구나"

보자마자 알 수 있었다. 저렇게 이쁘게 생긴 네모난 종이는 대부분 편지니까, 나는 갈고리에 걸려 있는 편지를 조심스럽게 떼고 차근차근 글을 읽었다.

@#/에게

안녕? @#%아. 너의 12번째 생일을 축하해!
오늘 생일이니까 기분 좋은 하루를 보냈으면 좋겠어!
그리고 약 2년 동안 나랑 친구 해줘서 고마워

우리 앞으로도 계속 잘 지내보자~

너의 소중한 친구 $@/!가

.

"오늘도 생일편지네"

생일편지는 정말 많이 잡힌다. 그 외에 편지들도 많이 잡히긴 하지만 특히 생일편지는 말할 수 없을 정도로 어마어마하게 잡힌다.

하지만 신기한 점이 이 생일편지들을 다 보면 다 똑같은 말이 들어있다는 것이다. 우리 앞으로도 계속 잘 지내보자던가 이러쿵저러쿵해서 고맙다던가 끊임없이 이 문장들을 계속 봐왔던 것 같다.

그래서 볼 때마다 지구인들은 다 똑같다는 것을 생각하게 된다.

"한 세계에서 같이 살아서 그런 건가?"

나는 편지를 오랫동안 들여다보다 통 안에 던졌다.

그리고 다시 낚싯줄을 던져 기다렸다.

“이번에는 새로운 거 걸렸으면 좋겠다.”

나는 새로운 걸 잡히길 기대하면서 살짝 설레었다. 항상 낚시할 때마다 이런 기분이었지만 오늘은 왠지 모르게 더 유난히 그런 기분이 들었다. 하지만 계속 기다렸는데 낚싯대에 아무런 반응이 없었다.

“원래 이렇게 오래 걸리지는 않았는데….”

나는 뭔가 이상함을 느껴 휠을 잡고 돌렸다. 계속 돌리다 보니 무언가 묵직한 느낌이 들었다.

“어? 이미 걸려 있었나?”

나는 설레는 마음으로 더 빠르게 휠을 돌렸다. 그렇게 돌렸더니 어느새 모습이 보였다. 약간 꿈틀거리는 채로, 나는 그 꿈틀거리는 무언가를 갈고리에서 떼어

내고 유심히 잘 살펴봤다.

"뭐지…."

풍성한 털로 감싸져 있고 귀를 쫑긋 위를 세우고 있는 흰색의 무언가였다. 난생처음 보는 건데 이상하게도 낯설지가 않았다. 나는 이게 뭔지 몰라서 예전에 잡은 여러 권의 책들을 가져와 펼쳐 하나하나 읽었다. 책들을 몇 권 읽어보니 곧 이 녀석의 정체를 알 수 있었다.

"고양이?"

하지만 나는 믿을 수 없었다. 지구는 이미 멸망한 지 오래였기 때문이다. 그래서 더 지구에 남아있는 생명체는 없다. 이건 확실하다. 난 책에 있는 사진과 고양이로 예측되는 무언가를 계속 번갈아 보았다. 하지만 역시 사진과 그 무언가가 일치했다.

나는 놀라서 의자와 함께 뒤로 자빠졌다. 고양이도

놀랐는지 살짝 뒷걸음질을 쳤다. 나는 한참 동안 넘어진 채로 가만히 있었다.

그러자 고양이가 나한테 다가와 내 얼굴에 자기 코를 갖다 대었다. 냄새를 킁킁 맡는데, 나는 놀라서 재빠르게 고양이와 거리를 뒀다. 위험한 생명체인가? 그냥 장난감인가? 오만가지 생각이 드는데 식은땀이 났다. 우선 진정하자. 일단 이 고양이를 어떻게 다시 지구에 돌려보낼지 생각을 해봐야겠다. 하지만 아무리 생각을 해봐도 도무지 떠오르지 않았다. 이 행성은 신기하게도 나 말고 아무에게도 보이지 않는다. 그리고 그 누구도 이 행성을 들어오는 건 불가능하며 오직 나로 통해서 들어올 수가 있다. 하지만 나가는 건 나로 통해서라도 절대 못 빠져나온다. 전에 호기심으로 내가 이 물웅덩이에 한 번 빠져본 적이 있었는데 내 허리까지만 들어갈 수 있었고 그 밑에는 마치 유리 바닥이 있는 듯이 평평하고 단단했다. 물론 물 안에 들어가서 보기도 했었지만 모든 것이 안개라도 낀 것 같이 뿌옇게 보였다. 오직 선명하게 보이는 건 밑에 있는 하얀색 바닥뿐 그 외에는 아무것도 보이지 않았다. 그러면 고양이는 이대로 죽지 않을까? 그건 아니다. 이 행성은 모든 생명체의 환경적 요인을 맞출 수 있는 특이한 능력을 갖추고 있다. 바다에 사는 물고기나 길거리에 자라는 풀떼기들이 얼마든지 여기서 아무 이상 없이 살아갈 수가 있다. 그리고 아까 말했다시피 여기서는 시간이 없다. 그럼 고양이는 죽는 일이 절대 없을 것이다.

그럼 어떻게 해야 할까? 내가 죽이기라도 해야 하나? 하지만 그런 끔찍한 일을 저지르고 싶지는 않다. 만약 죽인다고 하더라도 그 고양이 사체와 같이 지내야 하니 생각만 해도 소름이 돋았다. 그럼 내가 할 수 있는 제일 나은 방법은 이 고양이와 같이 지낼 수밖에 없다. 솔직히 나로서는 꽤 괜찮았다. 지구에 있는 생명체들에게 호기심과 흥미가 있었고 무엇보다 혼자 있기 무서울 때가 종종 있었기 때문이다.

나는 고양이에게 다가가 살포시 머리를 툭 하고 건드렸다. 고양이 털의 부드러운 감촉이 내 손을 타고

올라왔다. 나는 이토록 부드러운 건 만져본 적이 없어서 마냥 신기하기만 했다. 그래서 고양이를 머리부터 꼬리까지 이곳저곳 나도 모르게 만져댔다. 근데 고양이는 그게 싫었는지 나에게 그만하라는 듯 자기의 날카로운 손톱으로 내 손을 할퀴었다. 나는 순간 당황했지만 아프지는 않았다. 그냥 나를 한번 건드린 수준이었다. 그래도 고양이에 대한 경계가 조금 생겼다. 그래서 내린 결론은 일단, 멀리서 지켜보기만 하기로 했다.

 한참 동안 고양이를 지켜보니 고양이도 날 따라 멀뚱멀뚱 바라보며 가만히 앉아 있었다. 그것도 일정한 거리에서. 아까 나를 할퀴어놓고 미안한 마음이 전혀 들지 않는 건가 생각하면서도 살짝 고양이가 괘씸하게 느껴지기 시작했다.

"너 그렇게 나랑 친해지기 싫은 거야?"
"됐어, 멀뚱멀뚱 내 앞에서 눈치 보지 말고 가서 놀아."

고양이는 정말 내 말을 알아들었는지 뒤로 돌며 이 주변을 돌아다니기 시작했다. 코로 냄새를 킁킁 맡고 내 낚시용품들을 툭툭 건드리기도 했다. 난 새삼스럽게 아까 괘씸한 마음은 어디로 갔는지 고양이가 귀엽게 느껴졌다. 그러자 갑자기 고양이가 낚싯줄을 자신의 날카로운 이빨로 물어뜯기 시작했다. 아까 했던 말은 취소해야겠다. 다시 고양이에 대한 불만이 생기기 시작했다. 나는 어서 고양이한테 다가가 고양이를 조심스럽게 들어 올랐다.

“그렇게 뜯어먹으면 망가져”

나는 고양이를 내려놓고 낚싯줄 상태를 봤다. 얼마나 질겅질겅 씹어먹었는지 낚싯줄이 구워지고 있는 베이컨이 쪼그린 듯한 형태로 있었다. 이대로 두다간 곧 끊어질 것 같았다. 나는 한숨을 쉬며 그 쪼그라진 낚싯줄 부분을 잘랐다. 그러자 고양이가 나한테 다가와 내 손에 들고 있던 쪼그라진 낚싯줄을 보고 또다시 툭툭 건드리고 질겅질겅 씹어먹기 시작했다. 내가 그만하라고 했는데도 여전히 계속해서 씹어먹고 있었다. 나는 점점 고양이한테 짜증이 나기 시작했다. 하지만 바닥에 뒹굴뒹굴하면서 씹어먹고 있는 고양이가 또 너무 귀여워서 어쩔 줄 몰라 하는 나 자신한테도 짜증 났다. 그렇게 해서 나는 고양이랑 계속 그 쪼그라진 낚싯줄로 한참 동안 싸웠다. 내가 오른쪽으로 두면 고양이도 따라서 오른쪽으로 오고 내가 왼쪽으로 두면 고양이는 또 따라서 왼쪽으로 오고…….

정말 가지가지 했다. 왜 이렇게 끈질기게 낚싯줄에 집착하는지 도무지 이해할 수 없었다. 나는 어쩔 수 없이 그냥 다 씹어먹으라고 낚싯줄을 고양이에게 줬다. 하지만 얘도 조금 지쳤는지 이제 더는 낚싯줄을 보고 아무런 관심을 주지 않았다. 정말 어쩌라는 건지 잘 모르겠다. 고양이는 원래 이렇게 건방진 생명체인가? 그러면 다른 생명체들도 건방질까? 갑자기 이런 생각을 하니 무서워졌다.

"지구에 태어나지 않은 걸 감사히 생각해야겠네"

“야옹”

“응? 뭐야??”

나는 주변을 둘러보면서 그 소리의 주인을 찾았다. 하지만 이 고요한 공간 속에서 소리가 들리는 건 내가 걷는 소리나 혼잣말밖에 없다. 그렇다면 이 소리는 내가 낸 게 아니라면 저 괘씸하고 변덕쟁이인 털 뭉치일 것이다. 나는 확인을 하기 위해 고양이한테 한번 말을 걸었다.

“네가 낸 거야?"

하지만 고양이는 날 계속 빤히 쳐다만 볼 뿐, 아무런 소리도 내지 않았다. 고양이가 낸 소리가 아닌가? 그러면 누가 이 소리를 낸 거지? 내가 무의식적으로 낸 소리인가? 그런 거라면 난 미친 게 틀림없다. 나는 속으로 그런 생각을 하는 게 어이가 없으면서도 조금 걱정이 되기도 했다. 결국, 난 한참 동안 계속 그 생각에 헤어 나오질 못하기 시작했다.

"아무리 생각해도 내가 낸 소리가 아닌데!"

처음에는 믿지 않다가

"나 혼자만 여기서 살다 보니 미친 걸지도 몰라."

원인을 찾고

"사실 난 이런 소리를 내는 생명체인가?"

점점 나를 설득하는 단계까지 와버렸다. 그러다 고양이를 쳐다봤는데 고양이는 이런 내가 한심하다는 듯 표정을 지으면서 아까 내가 들었던 소리와 비슷하게 냈다.

"야옹"

나는 그 소리를 듣고 몇 분 동안 황당해하고 있었다. 여기서는 시간이란 게 존재하지 않지만, 굳이 따지자면 20분이라는 시간이 흐른 것 같았다. 하지만 지금 그게 중요한 게 아니다. 저 녀석이 방금 와 옹 하고 내게 말을 걸었다. 나는 어쩔 줄 몰라서

"으엙베엙붺"

만 반복하며 고양이에게 어느 세계에서도 들어본 적도 없는 말을 쏟아부었다. 고양이는 또다시 나를 보고 한심한 듯한 표정을 지었다. 나도 이런 내가 한심하고 우스웠다. 그래서 나도 모르게 쪽팔려 얼굴이 빨개졌다. 이곳에 나와 고양이밖에 없는데도 말이다. 난 숨을 크게 푹 쉬면서 진정하고 다시 고양이를 쳐다봤다. 고양이는 이제 나에 대한 흥미가 떨어졌는지 이제는 나를 쳐다보지 않고 멀리서 자기 등만 보여주었다. 나는 그런 고양이의 등을 계속 쳐다보다가 아까 읽었던 책들을 다시 꼼꼼하게 읽어보았다.

고양이…….

무슨 포유류 식육목 고양잇과라는데 이 글을 읽으니 더욱더 고양이라는 존재에 대해 잘 모르겠다. 소리에 대한 특징 같은 건 없는 건가? 아까 저 녀석이 냈던 소리에 대해서 알고 싶은데 아무리 찾아도 그런 특징 같은 건 보이지 않았다. 어쩔 수 없이 나는 다른 책들을 더 찾아보았다. 하지만 내가 그동안 잡아 온 책들은 별로 없었기에 책을 더 찾아봐도 소용이 없었다. 그래서 나는 그냥 포기하기로 했다. 어차피 알아봤자 무슨 소용이 있을까 싶다. 물론 저 고양이에 대해 더 알아보고 싶은 마음이 크다. 하지만 지금 상황으로는 포기가 답이다. 책을 잡자니 내가 물웅덩이 앞에 대고 동물 백과사전을 달라고 말해서 그게 딱주는 건 아니라서 말이다.

“해볼까?”

머릿속에서는 그게 될 리가 없다고 말하고 있었지만 이미 내 몸은 낚싯대를 잡고 있었다. 끊어진 낚싯줄은 언제 또 연결해 놓았는지 낚싯줄이 팽팽하게 잘 연결되어있었다. 나는 잔잔하게 찰랑거리는 물웅덩이를 바라보았다. 흐리멍덩한 검은 그림자가 물에 비쳐있는 모습이 나인 것 같았다. 고양이처럼 귀가 길게 위로 뻗어있지도 않고 풍성한 털도 보이지 않았다. 정말 내게 보이는 건 물결 따라 움직이는 검은 그림자뿐이었다. 생각해보니 나는 내 모습을 제대로 본 적이 없다. 그냥 외계인이라는 존재만 알 뿐, 내 모습에 대해 아는 게 없었다.

풍덩-

나는 더 그런 잡생각은 그만하고 낚싯줄을 던져 말했다.

“동물 백과사전을 주세요”

솔직히 조금 현타가 왔지만 한 번쯤 이런 짓을 해봐도 괜찮지 않을까 싶다. 전에 그런 동화책을 본 적이 있었다. 어떤 신비로운 호수가 있었는데 거기서 소원을 빌면 그 소원이 이뤄준다는 책을 말이다. 조금 상황이 다르긴 하지만 그래도 어쩌면 이 물웅덩이도 그런 신비로운 힘을 가지고 있을지도 모른다. 애초에 이 행성부터가 그런데 물웅덩이가 신비로운 힘을 가지고 있는 것 정도는 이 행성에서는 딱히 별거 아닐 수도 있다. 막상 이런 생각을 하니 어이가 없긴 한데 그래도 믿어보기로 했다.

낚싯줄이 조금씩 흔들리기 시작했다. 나는 그 느낌을 받고 바로 휠을 잡고 돌렸다. 돌리면서 무엇인지 살짝 보니 나는 그게 뭔지 바로 확신할 수 있었다. 네모나고 두꺼운 물건! 내가 잡은 것은 바로 책이었다. 나는 신나서 어쩔 줄 몰랐다. 역시 이 물웅덩이에 신비로운 힘이 있었다. 하지만 자세히 봐보니 내가 원하던 그 책이 아닌 것 같았다. 왜냐면 내가 잡은 책은 아무런 제목과 표지가 없고 그저 스티커가 하나 붙여져 있는 초록색 책이었다. 낚싯줄을 다 올리고 나는 내가 잡은 책을 갈고리에서 떼어냈다. 책 앞과 뒤를 이리저리 보니 딱히 특별한 건 없었다. 굳이 있다고 치면 앞에 붙어있는 스티커뿐이었다. 스티커를 보니 이상하게 누군가를 닮은 것 같았다. 주변을 보니 나는 이 스티커가 무엇을 닮았는지 찾을 수 있었다. 그건 바로 내 옆에 언제 왔었는지 모를 괘씸한 고양이였다. 여기에 고양이에 대한 정보가 있는 걸까? 나는 궁금해서 얼른 책을 펼쳐서 읽었다.

.

@#$%년 @월 #!일 %요일

혼자 집에서 하루랑 놀다가 배고파서 피자를 시켜 먹었다. 이번에 새로 연 피자집에서 좋아하는 고구마 피자를 시켜 먹었는데 생각보다 기대 이하였다. 맛은 있었지만, 그냥 내 취향이 아니었다. 아무튼, 그렇게 대충 배를 채운 뒤 나는 딱히 할 일도 없어서 텔레비전 켜고 영화를 봤다. 영화 제목은 하루였다. 우리 집고양이 하루랑 같은 이름이길래 호기심에 한번 봤다. 영

화 내용은 단순했다. 어쩌다 세상이 멸망했는데 그곳에 단 한 사람이 살아남은 내용이었다. 그 사람은 주인공인데 굉장히 생존력이 강한 사람이었다. 나 같으면 절대 그런 세상에 혼자 살아가는 건 불가능이다. 그렇게 몰입하면서 보다가 결말이 엄청나게 흐지부지하게 끝나버렸다. 그냥 주인공이 자살하고 하루가 끝났다는 문구만 띄어주고 내용을 마무리했기 때문이다. 그렇게 생존에 힘을 쓰던 주인공이 갑자기 자살하다니 뭔가 좀 별로면서도 이해가 가는 그런 애매한 느낌이 들었다. 그래도 나름대로 의미 있는 영화였던 것 같다. 아무튼, 오늘 하루는 이렇게 끝이 났다. 살짝 주말이 이렇게 간 게 제대로 즐기지 못한 것 같아 아쉽긴 한데 그래도 새로운 도전을 두 가지 해봤으니 이걸로 만족해야겠다.

@#$%년 @월 #!일 %요일

오늘 좀 늦게 일어났다. 늦게 일어나서 그런지 가족들이 아침밥을 이미 다 먹은 상태였다. 그래서 나 혼자 어쩔 수 없이 밥을 차려 먹었다. 엄마가 만든 김치찌개를 끓여서 먹었는데 오랜만에 먹어서 그런가? 너무 맛있었다. 원래 밥 한 그릇 다 먹지도 못했는데 오늘은 다 먹었다. 그래서 너무 배불러서 소화 좀 시킬 겸 동생이랑 같이 산책하러 나갔다. 동생은 살을 빼겠다며 요즘 열심히 운동하고 식단관리도 철저히 하고 있다. 내가 보기엔 이미 충분히 말랐는데 본인은 만족하지 못하고 있나 보다. 이러다 뼈밖에 안 남을 것 같아서 조금 걱정이 되기도 한다. 아무튼, 동생이랑 같이 산책길을 이것저것 이야기를 나누면서 가는데 너무 재미있었다. 동생이 학교에서 있었던 일이랑 내가 몰랐던 동생의 짝사랑 이야기를 듣는데 그 이야기의 주인공이 동생이라고 생각하면서 듣다 보니 너무 웃겼다. 진짜 오늘이 내 인생 중 가장 많이 웃었던 날인 것 같다. 그렇게 동생이랑 이야기를 한참 동안 하다 집으로 돌아왔다. 오랜만에 배부르게 먹고 걸어서 그런지 잠이 일찍 오기 시작했다. 오늘 일기는 여기서 마무리해야겠다.

·

여기까지 읽어보니 나는 인제야 이 책이 지구인이 썼던 하나의 일기장이라는 것을 알 수 있었다. 사실 이번이 일기장을 건져 올린 건 처음이다. 일기를 쓰는 방법에 관한 책만 본 적이 있었지 이런 진짜 일기장을 보는 건 처음이었다. 동물 백과사전이 아니라는 게 좀 아쉽지만 그래도 새로운 거 하나 얻었으니 나는 만족해했다.

그것도 일기장이라는 게 나는 그냥 만족이라고 감히 말할 수 없는 정도였다. 왜냐면 일기장은 지구인의 삶을 한눈에 볼 수 있기 때문이다. 정말 내가 원하는 것 중의 하나였다.

"이제 다음 페이지도 읽어봐야지"

나는 기대되는 마음으로 다음 페이지도 읽었다. 역시나 별다를 게 없는 평범한 지구인의 삶이자 내가 꿈에 그리던 삶이었다. 그렇게 한 장 한 장을 거치고 읽어내서 어느새 거의 마지막 장까지 와버렸다. 그런데 어째서인지 이 페이지에서는 다른 페이지들보다 글자 수가 적었다.

.

년 월 일 요일

하루야 잘 가

.

이 문장 끝으로 다음 페이지부터는 모두 비어있었다. 나는 이 마지막으로 적힌 문장의 뜻을 이해할 수 없었다. 심지어 이 페이지에서는 이상한 게 한 둘이 아니었다. 평소처럼 날짜를 쓰지 않았고 유독 이 페이지만 물에 젖은 것처럼 홀쭉했다.

“갑자기 잘 쓰다가 왜 이렇게 쓴 거지?”

아무리 생각을 해봐도 이해할 수가 없었다. 하루가 지구인에게 주어지는 24시간이라는 것인지 아니면 다른 의미라는 것인지 헷갈렸기 때문이다. 일단 추측해볼 수 있는 건 이 지구인한테서 평범한 일상 속에 무언가 큰일이 있었다는 것이다. 그래서 나는 생각해 봤다. 큰일이 있었다는 건 예상치 못한 일이 있었다는 것이다. 그럼 예상치 못한 일이 무엇이 있을까? 지구인한테서 익숙하지 않은 것을 생각해보자

지구인한테 익숙하지 않은 것…….

곰곰이 생각하던 와중에 나는 잠시 옆을 봤다. 고양이는 아직도 어디 안 가고 내 옆에 있어서 나를 멀뚱멀뚱 쳐다보고 있었다. 참 신기한 자세를 하고 있다. 앉은 것도 아니고 누워있는 것도 아닌 특이한 자세였다. 이 자세를 말로 표현하자면 식빵이라고밖에 말을 못 하겠다. 어쩌다 보니 여기까지 온 거지? 너무 오랫

동안 이 문장에 부여잡고 있어서 잠시 생각을 다른 길로 금방 새버렸나보다 난 다시 이 문장에 대해 생각을 해봤다. 하지만 옆에 있는 고양이의 특이한 자세 때문에 집중을 못 하겠다. 어쩔 수 없이 나는 아예 고양이를 등지고 생각해 봤다. 하지만 소용이 없었다. 아무리 고양이에게 등을 졌어도 이미 고양이를 한번 생각한 이상 고양이가 계속 생각났기 때문이다. 그렇게 나는 고양이 생각으로 고통받다가 문득 이 문장에 대한 답이 생각났다. 아까 일기장의 내용에서는 "하루"라는 말이 이 문장 말고도 다른 페이지에서 언급이 돼 있었다. "하루"는 이 일기장의 주인이 키우던 고양이 이름이다. 그럼 이제 다시 추측해 볼 수 있는 게 딱 한 가지밖에 없다.

잘 가라고 말한 건 고양이가 죽었다는 뜻밖에 없겠지 하지만 고양이가 죽은 거로 그 문장 하나만 쓴 게 이해가 잘 안 되었다. 죽은 게 뭐 그렇게 유난인 걸까? 영원히 죽음을 누릴 수 없는 난 아무리 생각해봐도 이해가 안 됐다. 어찌 됐든 이제 이 일은 내가 상관할 일이 아니다. 애초에 내가 신경 안 써도 되는 문제였긴 했지만, 나는 일기장을 통 안에 넣어놓았다. 고양이는 그 모습을 보더니 통 쪽으로 다가와 냄새를 킁킁 맡고선 통 안으로 들어가려고 몸을 꿈틀거렸다. 열심히 꿈틀거리면서 몸을 꾸역꾸역 넣는데 나는 이번에는 또 무슨 짓을 하려는 건지 벌써 한숨이 나오기 시작했다. 이제 말릴 힘도 없었다. 어차피 말려도 저 녀석 마음대로 할 게 뻔하기 때문이다. 그래서 나는 고양이를 더는 신경 쓰지 않고 낚싯대 정리를 했다. 왠지 모르게 한꺼번에 많은 일이 일어난 것 같아 피곤한 기분이 들어서 원래 더 많은 물건을 잡을 생각이었지만 그냥 일찍 집으로 들어가기로 했다. 자리 정리를 다 하고 이제 통 들고 집으로 가려는데 왠지 통 안에 모습이 심상치가 않다.

왜냐면 고양이가 너무 앙증맞게 자리를 차지하고 있었기 때문이다. 그러면서 나를 보고 조그마한 입을 슬쩍 위로 올리는데 그게 만족하다는 듯한 표정인 것 같아서 나도 모르게 웃음이 나왔다. 웃음이 나온 나는 급히 내 열리던 입을 닫고 아무 일 없었다는 듯 통 손잡이를 잡으며 집으로 돌아갔다. 몇 발자국 지나 걷다 보니 어느새 집에 도착해 있었다. 연두색 돗자리에 파라솔 하나 꽂혀 있는 개방적인 공간, 이곳이 나의 집이다. 그리고 이 뒤에 내가 그동안 잡았던 물건들이 무수히 쌓여 있었다. 작은 언덕처럼 쌓여 있는데 뭔가 음산한 기분이 들어서 온몸이 좀 소름이 끼쳤다.

"정리를 너무 안 했나 본데…."

나는 나중에 정리해야겠다는 다짐을 하고 내가 들고 있던 통을 봤다. 아직도 고양이가 나오지 않고 이 자리를 만끽하고 있었다. 어지간히 통 속이 편한가 보다 하지만 이 편함도 이제 안녕일 거다.

나는 통 속에 들어있는 물건들을 빼내서 저 언덕을 장식해야 하기 때문이다. 나는 고양이를 툭툭 나오라고 건들었다. 하지만 고양이는 이미 이 자리는 자기 것이라는 듯 나오지 않았다. 그 순간 나는 뭔가 잘못되었다는 게 느껴졌다.

“나와!!”

“먀아옥!!”

고양이가 입으로 날카로운 소리를 내며 내게 손톱을 내밀고 있었다. 역시 뭔가 일이 일어날 거로 생각했던 게 맞았다. 참으로 억울하다. 그냥 나오라고 말한 것뿐인데 이게 그렇게 화낼 일인가? 아니면 해보자는 건가? 아주 외계인을 만만하게 보고 있다고 고양이를 계속 속으로 욕하고 있던 찰나 좋은 생각이 떠올랐다. 나는 언덕에 박혀있던 운동화를 꺼냈다. 운동화에 이쁘게 묶여있었던 끈을 풀고 고양이에게 살랑살랑 흔들어서 보여줬다. 고양이가 살짝 몸을 들썩거리며 갈까 말까를 고민하는 게 보였다. 고양이는 오랜 고민 끝에 결국 내가 들고 있던 끈을 낚아채고 바닥에 뒹굴었다. 나는 그사이에 통 안에 들어있었던 물건들을 전부 꺼냈다.

책이랑 생일편지…….

"이게 끝?"

아무리 평소보다 별로 못 잡았다고는 하지만 이 정도로 많이 못 잡을 줄 몰랐다. 그래도 나는 괜찮았다. 많이 못 잡았긴 했지만, 의미 있는 것들 잡았으니 그걸로 됐다. 나는 책이랑 생일편지를 언덕 위에 올려두었다. 고양이도 끈 갖고 뒹굴뒹굴하면서 내 그 모습을 지켜봤다. 그러다가 잠시 하던 짓을 멈추고 언덕 쪽으로 다가오더니 갑자기 엄청난 높이로 뛰어 올라가 언덕 위로 착지했다. 나는 놀라서 눈이 휘둥그레졌다. 저렇게 높이 뛰는 게 가능한가 싶으면서도 고양이가 떨어지지 않을까 걱정이 되기도 했다. 근데 다행히 언덕이 내 키보다 살짝 작은 높이라 안심했다. 혹시라도 떨어진다면 내가 바로 잡아주면 되는 거니까 그리고 언덕 위에는 아까 내가 올려두었던 책을 두었던 곳이라 책이 고양이를 잘 받쳐주고 있었기에 그렇게 크게 걱정할 필요는 없을 것 같았다. 나는 잠시 내 집인 돗자리로 돌아가 누웠다. 그러고는 잠시 눈을 감으며 조용히 이번 일에 대해 정리를 해보았다. 나는 고양이를 낚았고 또 새로운 물건인 일기장을 잡았다. 핵심적인 부분만 정리하면 이 정도다. 아까는 정신이 너무 없어서 생각할 틈이 없었는데 사실 이번 일에 대해서는 굉장히 궁금한 점이 한가지가 있었다. 바로 왜 멸망한 지구에 살아있는 생명체가 나왔는가다. 사실 알고 보면 지구는 멸망하지 않은 건 아닐까? 생각해보니 왜 나는 지구가 멸망했다고 계속 믿고 있었던 걸까? 나는 이런 생각을 하자마자 바로 누워있던 내 몸을 일으켜 세웠다. 그러고는 언덕 쪽으로 다가가서 물건 하나하나를 자세히 보았다. 지구가 멸망한 증거가 혹시나 있을까 하고 말이다. 옷부터 신발까지 그리고 이쁘게 생긴 장신구들. 그렇게 찾다 보니 어느새 엄청 예전에 잡았던 핸드폰이라는 걸 발견하게 되었다. 핸드폰은 유용한 기능이 많다고 책에서 본 적이 있었다. 지구에서 가장 똑똑한 생명체인 지구인보다 더 똑똑하다고 했을 정도로 말이다. 어쩌면 핸드폰이 지구에 대한 모든 걸 알려주지 않을까? 그때 어떻게 사용하는지 잘 몰라서 가만히 두었지만, 지금은 그렇지 않다. 예전에 핸드폰 사용설명서를 잡은 적이 있어 심심풀이로 어느 정도 핸드폰 사용에 대해 숙지했기 때문이다. 우선 핸드폰 전원을 켜보자 나는 핸드폰 오른쪽 옆면에 있는 작은 버튼을 꾹 눌렀다.

"그럼 이제 저 검은 화면에 띠링하고 밝은 빛이 들어오면!"

…..

전혀 들어오지 않았다.

"괜한 짓을 했네"

나는 핸드폰을 바로 휙 하고 던져버렸다. 좀 도움이 될 수 있을까 해서 기대 좀 했는데 별거 아녔다. 그렇게 생각을 하려던 찰나 바닥에서 어떤 경쾌한 소리가 들려왔다. 소리가 나는 쪽을 바라봤는데 아까 내가 던졌던 핸드폰이었다. 화려한 로고가 보이고 곧이어 하얀색 화면이 켜졌다. 나는 바로 핸드폰을 다시 주워들었다. 핸드폰 화면을 보니 제일 먼저 보이는 건 고양이 캐릭터 한 마리가 작게 그려져 있는 단순한 배경 화면이었다. 하지만 이상한 게 시간이 보이지 않았다. 원래라면 핸드폰에 시간이 있어야 하는 게 아닌가? 조금 의아했지만, 지금은 내게 중요한 일이 아니니 신경 쓰지 않기로 했다. 일단 먼저 핸드폰 화면을 차근차근 살펴봤다. 오른쪽 위에 배터리 모양과 같이 다양한 모양들이 있었고 밑에 "드래그하여 잠금 해제를 하세요."라는 글이 보였다. 나는 그 글을 보고 바로 따라 해봤다. 그러자 갑자기 화면이 좀 왜곡되더니 네모난 것들이 차례차례 일정한 간격으로 여러 개 있었다.

메시지, 카메라, 갤러리, 메모장 등등…….

화면을 옆으로 돌리면서 적당히 파악한 뒤, 메시지라는 이름이 적혀있는 것부터 들어가 보았다. @#인 이름을 가진 사람들과 메시지를 주고받으면서 대화

나눈 게 여러 개 보였다. 하나하나 대화창 들어가면서 살펴보니 거의 다 비슷한 대화들뿐이었다. 밥은 먹었느냐느니 용돈을 보냈다느니 인간들이 평소에 할 법한 일상 속 대화들 말이다. 그렇게 아래로 내리다가 위로 쭉 올리다 보니 내가 깜빡하고 읽지 못한 메시지가 하나 있었다. 나는 바로 그 메시지에 들어가 보았다. 하지만 그 메시지에는 알 수 없는 기호들만 잔뜩 있을 뿐, 내가 읽으려고 해도 읽을 수가 없었다. 그래서 나는 포기를 하고 이번에는 갤러리라는 이름이 적혀있는 것에 들어가 보았다. 하지만 이것 또한 알 수 없었다. 전부 다 흐릿하게 있었기 때문이다. 그나마 보이는 건 동물같이 보이는 사진이었는데 자세히 봐보니 고양이가 테이블 위에 앉아 있는 사진이었다. 지구인들은 참 고양이를 많이 좋아하나 보다. 여기저기서 고양이가 나오니 말이다. 근데 신기하게 이 고양이, 아까 내가 잡은 고양이와 비슷하게 생겼다. 그래도 이 사진 속 고양이의 몸집이 더 작았다. 나는 한참 갤러리를 구경하다 다른 것들도 하나하나 다 보았다. 하지만 딱히 특별한 건 없었다. 메모장은 심부

름 내용일 뿐이고, 카메라는 전부 다 검게 보였기 때문이다. 인터넷 또한 아무것도 되지 않았다.

결국, 나는 이 핸드폰에서 얻은 건 아무것도 없었다. 나는 핸드폰을 끄고 잡동사니 언덕에 쑤셔 넣었다. 그러면서 천천히 생각을 해보았다. 만약 지구가 멸망하지 않았다면 나는 어떻게 해야 할까? 근데 내가 이걸 알아서 뭘 하지? 생각해보니 그렇다. 나는 이걸 알아서 뭘 하려는 걸까? 나는 종종 내가 이해할 수 없는 행동을 한다. 이유는 당연히 모른다. 그냥 생각보다 몸이 먼저 더 나서서 그런 행동을 취하는 것 같다. 그래서 낚시도 하고 이런 쓸데없는 생각도 하는 것 같다. 하지만 생각할수록 정말 이상하다. 나는 왜 낚시를 하고 이 행성에 혼자 사는지도 모르겠다. 그래, 낚시는 처음부터 내게 익숙한 존재였다. 하지만 왜 익숙한 존재였는지 도저히 모르겠다. 예전부터 그저 무의식적으로 낚시를 했다고는 하지만 그건 정당한 이유가 아녔다. 그럼 난 대체 뭘까? 뭐를 위해서 이렇게 하는 것일까? 뭐를 위해서 이 행성에서 혼자 지내는 것일까? 아무리 생각해도 나 자신한테서 찾는 답이 생각나지 않았다. 이게 진짜 나라고 할 수 있는 것일까? 진짜 나라면 왜 그렇게 나 자신을 모를까. 갑자기 머리가 지끈 아파져 왔다. 너무 오랫동안 생각을 했나? 그러자 익숙한 소리가 귀에 들려왔다.

"야옹"

언덕 위를 보니 역시나 그 소리의 주인은 고양이였다. 고양이는 하품하고는 밑으로 뛰어 내려와 착지했다. 그러면서 총총 내게 뛰어왔다. 무언가를 바라서 온 걸까? 나는 고양이의 낯선 행동에 좀 당황스러웠다. 그래서 나는 바닥에 떨어진 끈을 잡고 이리저리 흔들어댔다. 하지만 고양이는 끈이 움직이는 대로 따라서 고개를 돌릴 뿐, 아무런 반응을 하지 않았다. 도대체 바라는 게 뭐지?

나는 괜히 식은땀이 났다. 움직이던 손을 멈추고 나는 고양이를 쳐다봤다. 고양이도 아무런 미동도 없이 나를 계속 쳐다봤다. 진짜 뭐지? 내가 뭘 잘못했나? 너무 아무것도 안 해줬나? 하지만 뭘 해야 하는지 모르겠는데? 그러자 고양이가 또다시 같은 소리를 냈다.

"야옹"

정말 알 수가 없다. 동그랗고 반짝이는 눈으로 날 바라보는 게 그저 부담스러울 뿐이다. 나는 무릎을 구부리고 앉아 고양이에게 말했다.

"이번에는 또 뭔데?"
"야옹"

그러자 고양이가 갑자기 다가와 내 손을 머리로 비볐다. 나는 갑작스러운 행동에 당황스러워서 얼른 내 손을 품에 안았다.

"뭔데??"

꼬리도 위로 솟아있고 지금 보니 동공도 커졌다. 나는 이제 당황을 넘어서 고양이를 경계하기 시작했다.

분명 어떤 음모가 있을 거다. 하지만 음모가 있다기엔 너무 다정한 행동 아닌가? 솔직히 말해서 나는 기분이 딱히 나쁘지 않았다. 오히려 고양이의 털이 부드러워서 좋았다. 아니 어쩌면 이게 고양이와 친해질 기회일지도 모른다. 나는 냉큼 고양이를 쓰다듬었다. 또 손톱으로 할퀴는 게 아닌가 걱정이 되기도 했지만, 걱정과 달리 그러지 않았다. 오히려 고양이는 더 꼬리를 세우고 엉덩이를 높이 들었다. 기분이 좋다는 뜻인 걸까? 고양이는 눈을 감으며 기분 좋은 표정을 짓고 있었다. 나도 고양이를 보고 따라 웃었다. 그렇게 계속 고양이를 쓰다듬다가 나는 문득 생각이 들었다. 고양이도 나와 같은 생각을 할까? 지구가 멸망했는지를 궁금해하고 나 자신 또한 궁금해하는 것, 아마 같은 생각을 한다면 묻고 싶다. 너는 진짜 누구인지를 말이다.

"하하…."

어이가 없어서 나도 모르게 웃음이 났다. 고양이 주

제에 이런 생각을 할 수 있을 리가 없다. 적어도 이런 생각을 할 수 있는 건 지구인밖에 없겠지…….

"…"

"지구인?"

나는 순간 고양이를 쓰다듬는 손을 멈추었다. 그러면서 손이 점점 파르르 떨리기 시작했다. 지금 머릿속이 뒤죽박죽 하고 아프다. 나는 구부렸던 내 무릎을 폈다. 그러고서 낚싯대를 손에 쥐고 물웅덩이로 냅다 달려갔다.

이유는 모른다. 그냥 내 몸이 제멋대로 움직였다. 아니, 이제 이유를 알 것 같았다. 이유를 알기에 그쪽으로 달려간 거다. 어느새 물웅덩이에 도착했다. 나는 어서 낚싯줄을 던져 낚시했다. 낚싯대를 꽉 잡고 긴장되는 마음으로 걸리길 기다렸다. 하지만 아무리 오래 기다려도 걸리지를 않았다. 다시 낚싯줄을 걷고 던져 봐도 똑같았다. 수없이 그 행동을 반복해도 아무것도 걸리지를 않는다. 뭔가 이상하다. 나는 낚싯대를 물웅덩이에 버리고 뛰어 들어갔다. 물웅덩이 속엔 역시 아무것도 보이지 않았다. 여전히 안개처럼 뿌옇게 보였고 하얀색 바닥만 보였다. 헤엄쳐서 그 주변을 살펴보기도 했지만 똑같았다. 나는 물속에 빠져나와 물웅덩이 위에 떠다니는 낚싯대를 쳐다보았다. 마치 내가 이곳에 처음 눈을 떴던 것과 비슷한 모습이었다. 바로 고개를 아래로 돌리니 물웅덩이에 비치는 내 모습이 보였다. 여전히 흐릿하고 물결 따라 움직이는 그림자, 이게 내 모습이다. 하지만 정말 이게 내 모습일까? 나는 묘한 이질감을 느꼈다. 나는 일어서서 다시 내 집으로 향했다. 집에 도착하자 이상하게 고양이가 보이지 않았다. 언덕 주변을 살펴봐도, 내 집을 살펴봐도 하얗고 복슬복슬한 털이 전혀 보이지 않았다. 나는 순간 머릿속이 새하얘졌다. 오직 머릿속에 스쳐 지나간 말은 이 말 뿐이었다.

어디로 간 거지?

손이 떨리고 가슴이 답답하다. 아무것도 생각이 나지 않았고 그저 그 주변을 서성이기만 했다. 지금, 이 상황에서 내가 할 수 있는 건 아무것도 없었다. 그런 내가 너무 비참해서 눈물이 났다. 이대로 가다간 미쳐버릴 것 같았다. 그래서 나는 일단 정신 차리기 위해 숨을 천천히 몰아쉬며 천천히 생각해보았다. 고양이가 어디로 갔을까로 시작해서 왜 이런 일이 발생했는지까지 말이다. 하지만 이런 생각을 할수록 나는 더 고통스러웠다. 내 책임에 대해서 불만과 죄책감을 느껴져 왔기 때문이다. 그러면서 내 죄책감을 덜어내기 위해 합리화를 하기 시작했다.

원래 난 혼자 살았었고 고양이는 그냥…….

“…”

지금 이 생각을 하는 게 무슨 의미가 있을까? 누군가가 들어주기라도 할까? 아무것도 하지 않고 합리화만 하는 게? 뭐든지 행동을 해야 정당한 이유를 찾을 수 있고 뭐가 옳은지 그른지를 알 수 있는 것이다. 그걸 알면서 이러고 있는 내가 참 바보 같다. 나는 발을 움직여 고양이를 찾아 나섰다. 지금까지 가보지 못했던 곳으로 앞만 보고 뛰어다녔다. 하지만 이상한 게 내 집으로 다시 돌아왔다. 마치 제자리걸음을 하듯이 말이다.

"뭐지? 그렇게 오래 달리지도 않았는데…."

이 넓고 넓은 세상을 나는 계속해서 달려갔다. 그런데도 나는 다시 내 집으로 돌아왔다. 가는 길에 제한이 있는 건가?

"그럼 고양이는 대체…."

가슴 쪽이 저릿저릿한 느낌과 함께 초조함이 몰려왔다. 이제 더는 뭘 해야 할지 모르겠다. 내가 갈 수 있는 길은 없고 낚시도 안된다. 아무것도 하지 못한다는 무력감에 난 점점 힘이 들기 시작했다. 결국, 난 또 아까와 같은 생각을 되풀이하며 나 자신에게 물었다.

나는 대체 누굴까
나는 대체 뭘 위해 사는 거지

하지만 여전히 이에 대한 답은 찾지 못했다. 찾을 수 있을 거로 생각했지만 그건 어리석은 짓이었다. 애초에 찾지 못할 답은 찾는 게 아니었다. 그랬으면 고양이를 잃어버리거나 이런 우울감도 느끼지 않았을 것이다. 그렇게 나는 내 지난날을 원망하며 후회했다.

.

.

얼마나 오랫동안 이렇게 있었을까? 아무것도 생각 안 하는 동안 겨우 생각해낸 게 이거였다. 이대로 정말 아무것도 안 하는 게 맞을까 하는 생각도 들었다. 마침, 내 눈앞에 잡아 온 것들을 쌓아 올린 언덕이 보였다. 나는 언덕 쪽으로 다가가서 서로 사이사이 끼워져있는 물건들을 봤다. 난 하나둘씩 그 물건들을 꺼내서 보았다.

옷이랑 신발 그리고…….

툭-

갑자기 밑에서 무언가 묵직한 소리가 들려왔다. 시선을 그쪽으로 돌려보니 검은색의 앨범이었다. 나는 떨어진 앨범을 들어 올려 펼쳐보았다. 내 기억으로는 이 앨범은 딱히 보잘것없었다. 사진마다 다 검은색으로 되어있어 아무것도 안 보였기 때문이다. 그런데 내가 이 앨범을 펼치는 순간 다양한 색으로 이루어진 사진들이 보였다. 그것도 지구인같이 생긴 모습까지 말이다. 나는 순간 놀라서 앨범을 다시 덮었다. 혹시 내가 예전에 깜빡해서 펼치지 않은 앨범인가 하고 또 확인해봤다. 하지만 이 앨범이 맞았다. 분명 내가 예전에 봤던 앨범이었다. 일단 난 숨을 몰아쉬고 침착한 뒤 다시 앨범을 펼쳤다.

"혹시라도 내가 잘못 본 걸 수도 있으니까…."

하지만 아니었다. 여전히 알록달록한 사진들로 앨범을 가득 채우고 있었다. 그래서 나는 그 사진들을 차례차례 다 살펴보았다. 거의 살펴보니 난 이 사진들의 공통점을 찾을 수 있었다. 첫 번째는 한 지구인의 형태가 보였고 두 번째는 이 지구인의 형태가 매우 흐릿하게 보였다. 근데 유독 잘 안 보였던 건 얼굴이었다. 무언가 이상함을 느낀 나는 앨범을 덮고 다른 물건들도 살펴보았다. 하지만 대부분 어떤 정보를 얻지는 못했다. 그렇게 물건들 다 살펴보니 어느새 일기장까지 와버렸다. 일기장을 짚는 순간 나는 많은 생각이 들었다. 이 일기장의 주인이 느꼈던 감정에 대해서, 그것도 자신이 키우던 고양이가 죽었던 순간을 말이다. 지금까지 이해를 못 했지만 이제 이해를 한다. 상황이 달랐지만 난 알 수 있었다.

이게 얼마나 쓸쓸한지를…….

마지막으로 써진 일기장의 페이지를 펼쳐보니 그 마음을 더 생생하게 느낄 수 있었다. 나는 고통스러워 책을 덮으려던 순간, 갑자기 무언가 보였다.

20○○년 ○월 ○○일 수요일

두 번째 페이지를 자세히 보니 처음으로 봤던 날짜와 다르게 기호가 아닌 숫자로 쓰여있었다. 나는 다른 페이지들도 펼쳐보았다.

201○년 ○월 ○○일 목요일
2015년 ○월 ○○일 금요일

.

.

.

2015년 10월 14일 수요일

그렇게 마지막으로 써진 일기장의 페이지로 다시 돌아왔다. 뭐라고 말을 해야 할지 모르겠다. 그저 이 상황이 믿을 수 없을 뿐이었다. 손은 페이지를 다시 돌려 보는데, 머릿속은 버퍼링이라도 걸린 듯 생각이 멈추었다. 페이지마다 점점 뚜렷해진 숫자들을 보고 갑자기 나도 모르게 눈물이 흘러나왔다.

왜 이렇게 눈물이 나오는지 이해할 수 없었다. 이해할 수는 없지만, 이유를 찾고 싶었다. 그래서 나는 앨범이랑 일기장을 들고 물웅덩이 쪽으로 걸어 나갔다. 내가 갈 수 있는 길을 그곳밖에 없었기에…….

물웅덩이에 도착하자 난 많은 생각이 들었다. 여전히 잔잔하게 움직이고 있는 물결들을 보니 조금 마음이 편안해졌다. 무언가 점점 바뀌고 있는 이 상황 속에서 유일하게 바뀌지 않은 물웅덩이만이 나에게 안정감을 가져다준 것이다. 고개를 아래로 돌려 물에 비친 내 모습을 보았다. 그러곤 난 지금까지 있었던 일에 대해 천천히 되돌아보았다.

“고양이를 잡고….”
“일기장도 잡고….”
“고양이는 잃어버리고”
“또….”

계속 생각해보니 나는 참 많은 일이 있었구나 싶었다. 그것도 한꺼번에 믿을 수 없는 일이 일어나다니, 또다시 생각해도 머리가 지끈지끈했다. 그래도 이런 일들이 일어난 덕분에 난 중요한 걸 깨닫게 되었다.

물에 비친 내 모습, 그토록 찾고 싶었던 나 자신, 여전히 내 모습은 흐릿하게 보였지만 이제 난 나 자신을 알 수 있었다. 눈물을 흘린 이유도, 앨범에 본 사진들도, 일기장의 주인도 이제야 알아차린 것이다. 머릿속에 엉망이었던 한 기억의 퍼즐 조각들이 하나씩 맞추어진다.

“그래 나는….”

물에 비친 내 모습이 점점 형태를 갖추어 뚜렷해지기 시작했다.

“인간이었구나”

이 말끝으로 물에 비친 내 진짜 모습이 보였다. 검은색 머리카락과 큰 두 눈, 학생답게 잘 갖추어진 교복과 같이 ‘유은하’라는 이름이 새겨진 명찰까지, 이 모습이 보이기 시작함과 동시에 유은하로서 살았던 내 기억들이 떠올랐다. 하나둘씩 기억들이 되돌아오자 쓸쓸한 마음과 함께 눈물이 나왔다. 이제는 보고 싶어도 못 보는 사람들, 점점 선명해지는 기억 속에서 그리움이 몰려왔다.

왜냐면 나는 죽었기 때문에…….

어떻게 죽었는지 기억은 잘 안 나지만 마지막으로

기억나는 건 내 끝이 엄청 고통스러웠다는 것이다. 그 때는 비가 무수히 쏟아지던 날이었고 내가 키우던 "하루"라는 고양이가 죽은 날이었다.

"그래서 기분전환을 하기 위해 밖을 잠깐 나왔었고…."
"그 뒤로는…."
"기억이 잘 안 나네…."

아무래도 상관없었다. 이미 난 죽은 몸이고 살아있었던 기억만 되새겨봤자…….

"…"

그래도 내가 지금까지 살아왔었던 삶에 대해 미련을 갖는 건 어쩔 수 없는 것일까? 인제 와서 말하기는 좀 그렇지만 난 참으로 행복하게 살아온 것 같다. 기억이 돌아오자마자 좋은 기억들만 수두룩하다. 가족들과 여행을 한다던가 친구들이랑 놀러 간다던가, 이런 사소한 것들이 그때는 잘 몰랐지만, 지금은 너무나 소중히 가슴에 묻어있다. 그렇다. 난 내가 원하고 원하던 지구인의 삶을 살아왔었다. 비록 끝이 빠르게 찾아오고 비극적인 결말을 맞이한 것 같지만, 지금까지 살아왔던 날들이 후회스럽지 않다. 오히려 고마운 마음만 들 뿐이다.

나는 내 품에 있던 앨범과 일기장을 다시 펼쳐봤다. 일기장은 아까와 같았지만, 앨범에서의 사진들은 내 모습과 가족들의 모습이 보였다. 사진들 속에 그동안 내가 잡은 물건들이 하나둘씩 보이기도 하였다. 어쩌면 내가 잡은 물건들이 다 내가 살아있었을 때 사용했던 물건이 아니었을까 싶다. 앨범과 일기장을 덮고 난 또 한 번 물웅덩이를 쳐다보았다. 물웅덩이 한가운데에 떠 있는 낚싯대를 보면서 말이다. 낚싯대를 보니 내가 이곳에 처음으로 눈을 떴을 때가 생각났다. 그 동시에 왜 하필 낚시였을까 하는 생각 또한 들었다. 솔직히 나는 낚시를 좋아하지도 않고 싫어하지도 않는 정도다. 하지만 이런 나 자신을 찾게 해 준 건 모두 다 낚시 덕분이었다. 낚시를 해왔기에 물건을 잡아 올리고, 생각하고, 그 끝내 나를 찾은 것이다. 도대체 나랑 낚시가 무슨 관련이 있었기에 그런 걸까? 여전히 이곳에서 이해 안 되는 부분이 많지만, 이제는 생각을 멈추기로 했다.

나는 앨범과 일기장을 바닥에 두고 물속으로 들어갔다. 이유는 아무것도 생각을 안 하고 싶어서다. 이제 나는 이제 할 게 없다. 내가 원하던 목표를 이뤘고, 내 삶은 이제 끝났기 때문이다. 무엇이든 시작이 존재하는 한끝도 존재한다. 하지만 이 행성에서의 나는 끝이 존재할 리가 없다. 그럼 난 나 스스로 끝을 만들어야 한다. 그래서 난 조용히 눈을 감았다. 지금까지 여기 와서 시도도 하지 못한 잠을 자려고 하는 것이다. 앞으로의 영원한 잠을 말이다. 이제 끝을 본다는 게 조금 무섭기도 했지만, 알 수 없는 편안한 마음도 들었다. 행복하게 보내왔던 내 삶이 만족스러웠기 때문인 걸까? 아무래도 좋았다.

마지막으로 하고 싶은 말이 있다. 이 말을 들어줄 수 있는 사람은 그 어디에도 없겠지만, 난 지금 삶을 살아가고 있는 사람들에게 말하고 싶다.

당신이 행복하게 삶을 살지 않더라도…….

꼭 언젠가 이런 삶을 준 자신에게 고마워하는 날이 오기를 바란다고..

.

.

.

"진짜 꼭 낚시해야 해?"

나는 투덜거리며 낚시할 준비를 하는 아빠한테 물었다. 아빠는 당연하다는 듯이 나에게 낚싯대를 던져주며 그 물음에 답했다.

"오랜만에 하는 여행인데…."

" 낚시 좀 하면서 여유를 가져야지"

아빠의 말을 들은 나는 어이가 없어 웃음이 나왔다.

"여유는 무슨…."

"날도 춥고 바람도 부는데 어떻게 여유를 가지면서 해!"

아빠는 그 말을 듣자마자 크게 웃으면서 낚싯대에 휠을 걸고 있었다. 그 뒤로 동생도 우리한테 다가오면서 아빠한테 투덜거렸다.

"돈 아깝게 왜 굳이 낚시하자는 거야?"

"생선을 먹고 싶으면 낚싯대 살 돈으로 시장에 가서 사 먹으면 되잖아…."

동생의 말을 듣고 난 공감하듯 고개를 끄덕였다. 난 동생의 말에 덧붙어서 아빠한테 물었다.

"맞아, 낚싯대도 비싸고, 직접 잡는 것도, 힘들기만 하잖아"

"오히려 낚시하는 것이 손해일 텐데…."

낚시하러 갈 준비를 마친 아빠는 한참을 생각하다 입을 열었다.

"어쩜 이렇게 단순하게 생각을 하는 거니?"

"시장에 가서 사 먹은 생선은 그걸로 끝이 나겠지만, 낚시해서 얻어먹은 생선은 경험과 좋은 추억으로 오랫동안 남아"

"그래도 정말 손해라고 생각해?"

생각보다 진지한 답에 난 당황스러워 아무 말도 하지 못했다. 동생도 예상치 못한 답변이었는지 아무런 말도 하지 않고 눈만 깜빡였다. 한참 동안 정적이 흘려내려 왔다. 이 왠지 모를 어색한 분위기에서 나는 무슨 말이라도 꺼내야 할 것 같아 꺼냈다.

"그래도 이렇게 추운 날엔 할 필요는 없잖아!"

"그래야 더 기억에 남지. 아빠의 이 깊은 뜻도 모르다니"

아빠는 혀를 차며 나에게 낚싯대를 건넸다. 나는 아무 말 없이 낚싯대를 건네받았다. 이 이상으로 대꾸할 생각이 안 났기 때문이다. 그래, 아빠의 말이 다 맞는 사실이다. 난 새삼 아빠가 우리에게 얼마나 좋은 기억으로 채워주고 싶은지 깨닫게 되었다. 지금까지 난 그것도 모르고, 내 경험과 추억을 대수롭지 않게 생각했다. 그때부터였을까? 그 후로 난 일기장을 쓰며 내 하루하루를 기록해냈다. 또 카메라를 사 사진을 찍어 모으기 시작했다. 처음에는 귀찮았지만 계속하다 보니 금방 익숙해졌다. 그렇게 매일 난 꾸준히 내 삶을 일기장과 앨범에 잘 간직해놨다.

앞으로도 쭉 기억할 수 있게…….

작가의 말

안녕하세요. 우선 이 글을 끝까지 읽어주신 독자분들께 감사의 말씀을 드리고 싶습니다. 제가 이 책을 쓰게 된 이유는 모든 사람이 삶에 대해 소중히 생각해주셨으면 하고 행복하게 사셨으면 하는 마음에 썼습니다. 솔직히 저는 대부분 사람이 삶이 소중하다는 걸 알고 계실 거로 생각합니다. 하지만 다들 아시다시피 삶은 행복하기만 한 게 아닙니다. 때로는 불행해질 수가 있죠. 그럴 때마다 무력감을 느끼고 포기하고 싶어질 때도 많습니다. 어쩌면 죽고 싶다는 생각도 하죠. 그래서 저는 이 책으로 작은 위로를 전달해 주고 싶습니다. 주인공이 마지막으로 사람들에게 말하고 싶은 말처럼 꼭 행복한 삶을 사셨으면 좋겠다는 말을요. 그러니 독자분들이 이 책을 통해 작게나마 위로를 받으셨으면 좋겠습니다. 처음으로 쓴 책인데 다들 어떠셨나요? 제가 처음으로 쓴 책이라 이 작품이 많이 부족하고 엉성하다는 걸 느끼셨을 겁니다. 그래서 저도 이 책을 쓰면서 아주 많은 고민과 고비가 있었습니다. 이렇게 긴 글을 써내는 건 이번이 처음이고, 또 평소에 책을 안 읽다 보니 글의 구조를 어떻게 해야 할지 몰라서 참으로 난감했습니다. 그리고 계속 쓰다 보니 주제에 엇나가는 부분들이 많아서 수정할 때에 힘이 많이 들었습니다. 그래도 책을 완성했다는 것 자체가 굉장히 뿌듯하고 저 자신이 대단하다고 생각이 듭니다. 여전히 이 책엔 아직도 부족한 부분이 많아 마음이 걸리기도 하지만, 독자분들이 나름 괜찮게 잘 봤다고 생각해주셨으면 좋겠습니다. 여기까지가 작가의 말이었습니다. 감사합니다.

해석

주인공이 사는 행성은 주인공이 태어나기도 전에 살고 있었던 행성입니다. 오로지 주인공만을 위한 행성이죠. 이 행성은 제가 인간이 죽었을 때 사용되는 "돌아가셨다"와 "하늘의 별이 되었다"들의 말들로 영감을 받아 쓴 것입니다. 하늘의 별이 되었다는 건 행성으로, 돌아가셨다는 건 죽어서 다시 태어나기 전으로 돌아갔다는 말에 빗대어 표현한 것입니다. 왜 이런 행성이 존재하고 있느냐를 묻는다면 생명이 왜 존재하는지를 묻는 것과 같습니다. 풀리지 않는 미스터리라고 생각을 하시면 좋을 것 같습니다. 또 물웅덩이는 사실 지구와 관련이 없습니다. 물웅덩이는 주인공이 살았을 때 좋은 추억이 담긴 물체들의 저장소입니다. 고양이도 그런 존재였기에 물웅덩이에서 만날 수 있었던 겁니다. 지금은 고양이가 어디로 갔는지는 독자분들이 생각해주셨으면 합니다. 여기까지가 작품 해석이었습니다. 생각보다 많이 풀리지 않는 것들이 많다고 생각이 드실 텐데요. 워낙 죽음이랑 관련된 이야기다 보니까 풀리지 않고 이해할 수 없는 수수께끼로 남을 수밖에 없다고 생각이 듭니다. 또 제가 강조하고 싶은 게 이 부분이기도 합니다. 죽음에 대해 생각을 하면 삶 또한, 생각하게 되는 거니까요. 또 이 작품에 대해 오랫동안 생각을 하셨으면 하는 마음도 큽니다. 여기까지 읽어주신 독자분들께 진심으로 감사드립니다. 다음에도 기회가 된다면 더 좋은 작품으로 찾아뵙고 싶네요.